飛輪：年賺

3億

團隊的8技

鄧兆豐 ——— 著

序言

萬丈高樓平地起！白手興家，無權無勢。只憑滿腔熱誠，再加無限拼勁。多次歷盡創業艱辛險阻，屢敗屢戰，不忘初心，始得今日正果。

「飛輪：年賺 3 億團隊的 8 技」劇透多年於商界股海摸爬滾打親身歷練，總結經驗之餘，亦希望透過無私分享，幫助正努力奮鬥的你，少走冤枉路，早日達成目標！

「附錄：炒股心法 18 式」深入淺出演繹多年縱橫馳騁股海百戰百勝獨門心法，宜細心玩味，反覆思考，切忌囫圇吞棗。

大道至簡，正誠貫一！我本赤子之心，著述立言，供諸同好。書中不免會有錯漏，萬望多多指正！

鄧兆豐

甲辰年初夏寫於香江

前言

　　你好，我是 Roy Tang 鄧兆豐，為飛輪財策（Flywheel Financial Strategy）創辦人及現任首席執行官。我自少對投資獲利甚有興趣，在證券行工作過，也當了十多年銀行家，現在更有一個以市值 10,000 億為目標的投資及銷營團隊——飛輪財策。縱然處境、身份一直轉變，我依然堅守初衷，至今仍每日努力觀察、實踐、反思，再繼續鑽研，歸結出一套心得，帶領團隊在資本市場中為自己和客戶謀求利益。另一方面，這些年來，我亦慶幸有一班良師益友、團隊同事在我身邊，讓我一步一腳印，將自己心中所想逐一實現，因此我亦希望趁此機會，謹此感謝他們一直以來對我的幫助。

　　言歸正傳，親愛的讀者，既然你開始閱讀此書，想必也對投資獲利以及經營團隊有濃厚的興趣，你甚至現在可能也與我一樣，擔任領頭羊的崗位，正在努力帶領一支團隊，希望達致共同成功，因此想從我的經驗中吸取養分，助你繼續向前。如果你符合以上所述，恭喜你，此書正正是為你而設，在接下來的內容，我會因應過去的經驗，以及我自身的思考，將所見所聞、所思所想，盡數傾囊相授。如果你想學習投資，我會有相應

內容為你建立基本概念；如果你想銷售成績更進一步，此書亦有相應心得；如果你是團隊領袖，我也希望此書能夠為你帶來啟發。

近年，內地網絡圈常常以「乾貨（干貨）」去形容內容紮實，資料豐富的知識影片或文章，意指實用性非常高的經驗分享或知識傳授，不會有過多水份，最好能夠讓人聽後立馬可以按部就班地執行。籌備此書內容期間，我一直以讓此書滿載「乾貨」為目標，設計不同章節的內容，讓每位讀者都可以滿載而歸。因此在擬定草稿初期，我便仔細擬定好八個我認為至關重要的技巧，總結我這些年來的投資心得以及經營團隊的心法。然而，與同事討論期間，大家都認為該八個技巧極為實用，同時有啟發性，不過，他們也認為，我為了引證這些技巧，因而加以補充說明的例子和個人經歷故事，反而更加有趣。因此，我決定在每一個章節中加插不少我過往經歷過的故事，希望這些趣味盎然的例子，能夠讓讀者在嚥下「乾貨」的同時，亦可帶來一點平衡和調劑，甚至可以在我的故事中，吸收到更多額外的養分。

我自投身社會後，於多家銀行相繼工作了十幾年，2016 年更決然放棄高薪厚職，開始創業，2018 年正式成立「飛輪財策 Flywheel Financial

Strategy」，主要業務包括為企業提供諮詢及上市服務，協助企業在香港、澳洲及美國等地上市。2021年末飛輪財策更正式於美國納斯達克上市。每次轉換身份，或是跨出新一階段，我的所見所聞，眼界視野都會翻天覆地，徹底改變。最後，希望你能夠在閱讀此書時，可以如同伴我走過一段又一段的旅程，過程中為你帶來不同的啟發，日後幫助你在自己的人生旅程上走得更遠。

目錄

Chapter 1：

金錢路上步步新，探索財智夢不停。

進取吸收一切資訊 重鎚撼動關鍵受眾

認識我的人都知道，賺錢一向是我最大興趣，幫人賺錢更是我一生職志。這個特別嗜好從何而起？大概源自中學時期，當時我常常看到家境優渥的同學暑假可以「隨處飛」，到世界各地飲飲食食，難免令人羨慕。那時我便暗自設想，到底怎樣才能過著同樣生活。大概由那時起，我便對金錢有了概念，繼而開始積極鑽研各種生財方法，而我當時最先鑽研的，並不是金融投資，而是賭馬。

打破資訊不對等

先此聲明，我並不鼓勵任何人賭博，畢竟當你學懂投資，了解市場，深諳部署之道，在市場上輸錢是很難的，勝率和回報自然遠勝任何博彩活動，自然不會沾手任何賭博，畢竟有得穩贏，誰又會選擇去賭？儘管如此，少年時期賭馬的經歷，確實為我帶來一些啟發，奠定了我至今為止仍然在用的一些投資基礎觀念和心法。

至於當時我為何會接觸到賽馬？皆因那時學校訂閱南華早報，讓同學可以讀讀時事，學學生字。我和哥哥是離群份子，偏偏最愛研究夾在報章中間的英文馬經。有次我們讀到記者訪問一位外籍騎師，他說香港跑馬地馬場賽道有一大特色，就是末段大直路較國外賽場的短，以致早段落後馬兒通常難以後來居上。我和哥哥看到這段訪問後，馬上恍然大悟，想到爆發力較強的馬，可以在賽事前段拉開優勢，再配合香港馬場末段大直路較短特色，自然可以「由頭帶到尾」。

　　根據整合資訊和思考得出結論後，我和哥哥馬上付諸實行，重鎚壓注在幾匹爆發力強的馬上。果不其然即時有斬獲，我們精神為之一振。在接下來的數月間，我們不斷 trial and error，甚至根據馬匹狀態和表現，為每場賽事參賽馬匹評分，有系統地贏錢。雨天賽事對我們而言，更是一個不可多得的賺錢良機：由於賽道已被雨水糊成一片泥地，馬匹的情緒和表現都會極度不穩，我們會押重注在有鬥心和爆發力的馬匹，通常十之八九也會「贏到開巷」。

　　我們在過程中亦發現到另外一個有趣現象，就是由莊家提供的賠率，實際上不應當成下注時

的參考指標。往往我們賽後回望，便會覺得這些估算賠率並不可靠，跟著賠率去買，十有八九都會賠錢收場。**當我們要下判斷時，充足資料搜集是一切根本。當你能夠掌握基礎，便可嘗試為自己建立一套思考套路／系統，而當收到他人（例如莊家）給予的資訊，更要審慎判斷真偽。**

初入股市

我中學時期在賽馬場上大賺一筆，首次嘗到贏錢快感，於是我把一部分錢拿去玩樂和孝敬親人，一部分留為自己的「教育基金」，剩下的部分則用以尋找更多賺錢機會。適逢那年是1992年，膾炙人口的經典「神劇」《大時代》在電視首播，那時我被那精彩刺激的劇情深深吸引，憧憬劇中男主角方展博，在股票市場所向披靡。於是，18歲那年，我首次踏入股票市場這個花花世界。

當時我憑著在賽馬贏錢的經驗，深信自己很快又可大賺一筆。小勝幾次後，我隨即向家人借了3,000元購買認股證，當時滿心歡喜，以為只要一直持有認股證，靜候時機，便可大賺一筆。

不料到期日轉眼便到，當時我完全不知認股證到期後，就會變得毫無價值，如同廢紙。這次見財化水的經驗，讓我上了寶貴一課，**如果連基本資訊都無法掌握，遑論進一步發展賺錢策略。**其實我的賺錢生涯並非一帆風順，也是一路由錯誤中學習，從而找出正確策略。我也不介意在此與大家分享這些經驗，希望大家也可以有所得著。

擒賊先擒王 重鎚進擊critical component

雖然我在學生時期已醉心鑽研各種賺錢方式，一時賭馬，一時在股票市場尋找機會，但其實我也有參與不同學生活動，享受校園生活。慶幸過程中結識到不同好友，亦從中學習到不少銷售策略，再將之付諸實行。最經典的案例，莫過於我競逐中學學生會會長一役。當時我與另一名中六師兄「打對台」，對方年齡較大，同學自然認為他比我成熟穩重，加上我當時在校知名度不高，大家都認為我勝算不大。我也知道這樣下去，坐以待斃，一定不會當選，於是我擬定了一個「擒賊先擒王」策略，務求出奇制勝。

就在全校師生投票前一星期，我找上好友替我繪製一張海報，上面當然有我「嘜頭」，同時羅列我幾大選舉綱領。一收到新鮮出爐的海報，

便立馬跑到校長室，向校長一一闡釋我的抱負和競選承諾。校長如認同理念，就在海報上簽名，以示支持。果不其然，校長聽畢，隨即簽名。

得到校長簽名後，一切都好辦了。我把說服校長的方式，「照板煮碗」套用在副校長身上，因為海報上已有校長簽名，我輕易獲得副校長簽名支持。之後，我再如法泡製，走遍整個教員室，逐個游說。一個下晝，全校已有三十多位老師在海報上簽名。我把海報展示全校同學，名人效應下，我已勝券在握。

過程中，**我明白到在營銷或推動一件事時，率先說服最具影響力的關鍵少數（critical component），由上而下去鼓動風潮，上行下效，必然是最有效率的。**凡事皆可為，但每個決定、每個行動都涉及成本，要以最有效手段，收割最豐厚回報，是我們恆常要思考的課題。

第一技：
進取吸收一切資訊
重鎚撼動關鍵受眾

萬事起頭，必先掌握正確而全面資訊。舉個例子，假設你想變得健碩，擁有厚實胸肌，於是你每天努力跑步，上班前都跑五公里，儘管你心肺功能會有進步，贅肉也可能減少，但你不會得到雄偉胸肌！因為正確的做法是要針對胸部做舉重訓練，再配合飲食等等。掌握正確方法和資訊極其重要，缺少這些東西，愈努力只會錯得愈多，離目標愈來愈遠！

如果能夠獲得充足資訊，下一步就是建基於資訊，組織一套有系統的分析方法，套用在不同個案上，便能把勝率最大化。以上所說都是最基礎心法，卻是大家最容易疏忽的一環。打好根基後，就要瞄準 critical component 重鎚出擊。營銷時總會有一些關鍵受眾，由一開始以這些人為目標，讓他們的取態傾向你，就可以槓桿出最大效益，由上而下影響其他受眾想法，自然事半功倍。

Chapter 2：

投資博弈競天機，市場洞察策略深。

恩師傳授 以「睇牌」創造圖利

初出茅廬投身券商 利用客戶情緒打開突破口

縱然在認股證一役賠了錢，我中學畢業後依然對股票市場充滿憧憬，除了受《大時代》影響，還受舅父感染。舅父是個頗低調的人，生活簡單節儉，我當時不知道他從事什麼職業，只知他收入尚算不錯，應該是中產人士。殊不知一次偶然機會，需要處理舅父一些文件，要入息證明，才發現他年收入竟高達千萬。一問之下，才知道全都是他從股票市場賺來的。

豐厚收入對我而言十分吸引，於是我萌生靠股市維生念頭。當時舅父每天早上五時便起床，早上會看報紙。為了像他一樣成功，我也非常「誠心」，每天早上「有樣學樣」，跟舅父一起打開報紙看財經新聞。日子有功，我確實因此對股市有基本認識。後來舅父見我有志投身金融界，便介紹我到某股票行當暑期工。我被分派的首個任

務，就是在街上派傳單，向途人推銷股票行的服務。

相信大家都有在街上「比人 sell」的經驗，推銷員貿然接近，其實無論是誰都會下意識想拒絕吧！我當時在街上推銷，也不停被拒諸門外，但經過一陣子，我便找到突破口：我經常會問途人「你有無在投資市場輸過錢？」當年正值 2003 年之後，經濟不景的陰霾依然揮之不去。我向途人**發問，正正是要觸動他們的情緒，進而讓對話可以延續下去，說服對方成為客戶的機會便大大增加。**

當利用集體陰影引起人們共鳴後，我會進一步說服對方，表示只要與我們合作，就可以「以股賺樓」。利用這個方法，我在數個月裡為公司累積了三百個客戶。這個方法之所以奏效，正正因為我利用了人天生的情緒。利用能夠第一時間激起他人情緒的關鍵字，搶奪對方的注意力，進而打開話匣子，類近的手段其實屢見不鮮，就像加密貨幣和 NFT 大行其道時，推廣這些產品的朋友經常會聽到一個關鍵字「FOMO」。所謂「FOMO」即是 Fear of missing out，意指害怕落後於時代，滯後於時勢，從而錯失獲利的最佳時機，甚至被時代淘汰。當推廣上述產品的朋友

將這種無形的恐懼傳遞到受眾的心中，便能夠激起對方的關注，從而讓他們開始關注加密貨幣和NFT，因為他們會害怕自己沒有了解相關事物，便會蒙受損失。這種推廣手法能夠最直接引起受眾的注意，因為它所借助的，是人人皆有的情感——擔憂和畏懼。

以「睇牌」洞悉市場走向 隨勢而行獲取利潤

後來，暑假結束，我利用中學時期開始滾存的積蓄，供自己出國讀大學。在外地留學，花多少都是自己賺來的，日子自然過得份外逍遙自在，加上當時還年輕，往往愛衝動式消費，例如會買下某個球鞋品牌近幾年生產的全部型號、又或是專買一些昂貴但欠實用的「溝女戰衣」，儘管現在回想這些行徑已可一不可再，但仔細想想還是快樂的。

後來我趁大學長假期間回港，再次踏足股票行當實習生。這次我離開了舅父庇蔭，獨自到一家日資證券行工作。在那裡，我有幸遇上一位可敬前輩，從他身上學到無數終生受用技巧，我繼而尊稱他為「師父」。

我從「師父」身上學到不少證券交易技巧：

當時公司為了吸引更多顧客，會開設「免費班」供街外人參與，旨在讓更多人成為我們潛在客戶。由於這些「免費班」在日間開設，學員往往是一些公公婆婆。「師父」間中也會主持「免費班」，他講課深入淺出，公公婆婆都聽得津津有味。不少同事看見「師父」授課，也會偷偷放下手上工作，靜靜走到附近旁聽。我當然也是其中一員，憑著聽「師父」講課，再把課堂重點抄下來，為我日後發展打好了根基。

「師父」發現我如此好學，便向我傳授更多實戰技術。在眾多招數中，最重要又最常用的莫過於「睇牌」。**「牌」即是經紀號碼，當交易時段開始，上百計的交投會在一瞬間發生，但每次買賣都會有相應的經紀號碼記錄在上。所以，只要留意經紀號碼，即可知道不同券商交易動向，即可看出一些端倪，只要再作相應部署，即可賺錢，以上種種謂之「睇牌」。**

簡而言之，睇牌精粹在於「了解邊個做緊乜」：對市場異動有敏銳嗅覺，自然可以早着先機。身為散戶，透過「睇牌」了解大戶走向，在適當時候跟隨大戶買入沽出，趨吉避凶，也是一個好方法。例如 2001 年 911 事件發生時，股市大瀉，大家慌忙散貨。我當時透過「睇牌」發現

大戶正不斷買貨，意圖撐起股市，我便知道股市
不會全盤崩塌，於是跟隨大戶入貨，結果小勝一
仗。由此可見，**「睇牌」可以幫助我們更了解市
場動向，讓我們可以順勢而行。** 大家猶豫時，不
妨先「睇牌」，再行動。

第二技：

配合時勢學「睇牌」借助科技省時又準確

　　二十多年前，當我初學「睇牌」時，當時「牌」只會以一串又一串數字形式呈現，因此我們需要將號碼對應的證券公司倒背如流，才能從一秒跳動十多行的電腦屏幕之中，解讀出當日市場走向，純熟運用「睇牌」技術。

　　但時至今日，「睇牌」已不再有如此高技術門檻。以自己記憶和反應去做到高速「睇牌」，固然是一個令我引以為傲的技能，但是現今科技發展猛迅，市場上有不少股票app，將「睇牌」過程化繁為簡。可能只要付少量費用，公司和相應經紀號碼便一覽無遺，為投資

者節省不少時間。我們可以好好運用這些資源，就算是初學者，也可以輕而易舉地「睇牌」，捉緊每個賺錢機會。**不要固步自封，學會與時並進，利用新時代科技和功能，為自己建立最大優勢。**

Chapter 3：

資訊解讀破迷霧，危機中尋機遇處。

擴大想像空間 以「心」贏得客戶信任

轉換跑道投身銀行 見客遇奇聞異事 促成大額交易

　　投身社會後我在證券商工作了一段日子，便遇上 2003 年證監會改制，自此經紀佣金設了上限，我收入大減。適逢當年多間銀行都以較好條件招攬人才，當時我身邊不少同儕也紛紛轉行。我亦不例外，決定跳到銀行尋找更大機會。

　　對於不少人而言，轉行是人生重大關口。我卻憑著自身技巧，在這次變卦中獲利，甚至取得前所未有的成就。我在銀行時代創下的驕人成績，可以用「三個第一」來概括：個人業績全港第一、團隊業績全港第一以及分行業績亞洲第一。過程中，我接觸過不少客人，令人印象深刻，由此我悟出了一套沿用至今的待客之道，我亦心存感激。

其中一個令我獲益良多的「大客」，要數「三兄弟」。故名思義，「三兄弟」是三位性格迥異的中年男士，他們雖然有血緣關係，興趣卻大相逕庭：大哥喜歡打網球、二哥喜歡打籃球、弟弟喜歡桌球。為了和他們打好關係，就算我當時沒有運動習慣，也時常陪伴他們，「一日走三場」是等閒事。投其所好，藉此打好關係，相信是不少從事營銷的讀者都懂得的技巧。然而，儘管我當時費煞思量，「三兄弟」卻一直沒有在銀行「開單」。直至發生了一件令我難以忘懷的事，我才成功贏得他們的信任。

　　一天深夜時分，我突然收到「三兄弟」其中一人來電，說車子「死火」了，我馬上查問他身處位置，他無奈地告訴自己正身處深山。我馬上著他保持冷靜，隨即驅車趕到現場。到場後，我看見他穿著背心，汗流浹背。他的車子是一輛舊款保時捷，當時他已經糾纏了六小時。幸好我對修車有一定認識，前來途中又在網上搜尋資料。到達後，我花了十分鐘左右便修好車子。他除了對我滿懷感激，亦開始對我產生莫大信任。及後，當我向他推銷產品，他很爽快地答應了，當日就完成了數億外幣交易。

　　投其所好，關注客人興趣，以打開溝通缺口，

固然是一套行之有效的營銷方法。然而，當我們面對「Ultra Rich」客戶時，可能就要以「心」關注客戶所需所想，同時擴闊想像空間，思考如何進一步幫助客人，時機一到，就可以贏取他們信任。

銷售話術離不開將心比心 易地而處方為上策

除了擴闊想像空間，以贏取客戶信任，有時我們在推銷時，也要因應受眾作出調整，不可以「一本通書睇到老」。例如很多客戶面對理財計劃的複雜數字和專業字眼，都會感到一頭霧水。當客戶聽不懂，他們對你的信任會隨之遞減，銷售便會變得困難。要避免這種情況，不妨參考以下事例：曾經有位高收入人士到分行了解儲蓄計劃，即使他教育水平甚高，都未能全然理解計劃內容。但當我接手這位客戶時，嘗試轉換一下字眼，向他解釋計劃就像「名牌衣服基金」，每年可以為他賺來多少件名牌衣服，他頓時恍然大悟。**當我易地而處，以他們的喜好物去量化投資產品收益，事情就簡單得多。**後來我亦照板煮碗，發明了「法拉利基金」、「AE86基金」、「Clubbing基金」等使人啼笑皆非，卻又一聽便懂的比喻，促成了數之不盡的大額生意。

除了因應聽眾轉換用字，讓對方能夠把說話內容更容易聽進腦海，我在銀行工作時，亦有另一項拿手絕活，我稱之為「講心唔講金」，這一招威力之大，甚至令我在眾人都意想不到的情況下成功簽單。自此一舉成名。

　　事情是這樣的：當時一對母女被我分行下屬推銷了大半個小時，同事嘗試以數字陳述產品對她們的好處，但對方明顯不受落。正當她們打算離開之際，此時我留意到女兒有手術疤痕，我便上前關心一下是怎麼一回事。她便說自己剛完成小手術，就和母親來處理銀行事務。

　　我聽後，便把計劃書合上，問那位女兒：「我的媽媽從來沒有帶我到銀行辦理財，所以今日你媽媽帶你前來，其實也是出於疼錫你。你有否想過，為何你媽媽如此愛你？」然後我又問：「如果要量化你對媽媽的愛，你認為值多少？今天你大可以什麼也不買，施施然離去，都是由你決定，但我相信無論你如何表達對媽媽的愛，這份心意都是無價的。」語畢，除了女兒被觸動，她母親更是大受感動，令我順利「開單」之餘，銀碼更比原先多了十倍。其實從事銷售，**重點在於「講理財產品，唔好講錢，係講心」。同事們常常都有個心魔，以為客人及其家人都會對自己抱有戒心，無論說什麼都會拒絕，但其實不盡然，事實**

往往都是相反的，「只要你敢想像，個客就肯俾你做更多嘢」。

待客之道：真心為客設想

其實要獲得客戶信任，**重要的是要「真心為客設想」。做理財行業，不可以只坐在冷氣房和客戶談數字。亦不只是和客戶去玩樂，是要貼合他們的需求。只要解釋清楚產品利弊，就可以和客戶保持良好關係。**因為「Ultra Rich」大多都是希望透過這個過程認識更多朋友，接觸到更多不同範疇知識。而我們這種和客戶共患難的人，可是難得的事。相信我和客戶建立關係的方法，尤其是向「Ultra Rich」，和其他同行所用的不一樣。正正是因為走了這條路，我才能踏足富人世界。

這些日子以來見了很多客戶，最享受的不是成功賣出產品賺佣金，而是找到每個客戶的「入口」。我覺得每個人都好像一座山，有不同的深淺高低。我很喜歡找到那個入口的時刻，很享受這個有趣的尋寶遊戲。**其實每人都有不同需求，重點是銷售員如何了解他們想要的是什麼。**要學會抱著更大想像空間，希望可以幫助各位讀者去找到那條獨特鑰匙。

｜飛輪：年賺 3 億團隊的 8 技

第三技：

抱持享受心態擴

想像空間才能觸及客戶的心

很多人以為靠口才就可以成功簽單，但如果只是空口說白話，就算說得多動人也沒有用。我們要做的是觸及客戶的心，找到他們的需要，再針對這個發現去付諸於行動。這樣才會讓客戶感受到我們發自內心的誠意，願意信任我們。而這種信賴關係是需要時間去建立的，慢慢地建立和擴闊人際網絡。

對我而言，其實我真係好鍾意「sell嘢」，雖然這是我個人想法，但是如果大家都抱著這種心態的話，其實對於個

人、整個行業來說會是一件好事。在認識不同人的過程中，自然會有不少有趣事情發生，亦會豐富自己閱歷。而跟不同類型的人聊天，能夠擴闊視野，學到更多不同知識，我相信這些都造就了現在的自己。

Chapter 4：

銀行業海掘金藏，智勇兼備披荊斬。

銀行達到驕人成績 悟出上下屬相處之道

相處之道：對待上司要「識做」

　　當我在某家規模甚大、業務穩健的銀行工作，做出不錯的銷售成績後，旋即被高薪挖角至另一家銀行，這間銀行雖然也是甚有規模，然而在保險銷售和財富管理業務方面起步較慢，在同規模銀行之間給比下去。恰恰他們的弱項，正正是我的強項。我便憑着自己的本領在銀行中站穩陣腳，甚至一度「化不可能為可能」：當時我獲派到業績最令人擔憂的新蒲崗分行，當時該分行已經很久沒有「開單」。這區有不少工廠客戶，普遍對理財認識不深，也沒有太大興趣。但我在到任當天的頭一小時，就成功開單，隨後生意亦接踵而來。這件在石頭鑽出血的事蹟，旋即傳遍同行，上司亦對我信任漸增，在半年裡讓我接手不少大客。

後來，我帶領分行在一年間，創出200萬保費金額成績，做到所謂「Break Case Size」，意思是破記錄級數業績，可謂吐氣揚眉。除了業績蒸蒸日上，同事都變得更積極，團隊氣氛亦高漲了不少，同時我亦榮升分行經理，一般擔任這職位的人都需要十年以上資歷，短時間內晉升可謂少之又少，我當時在銀行界可謂平步青雲。

之後兩年，我轉戰該銀行觀塘開源道分行，並再次成功帶領團隊上位，業績由倒數十名上升至首五名。然而，儘管當時上司十分器重我，不少同儕都認為我很快會升任區長，我卻毅然離開銀行，至於原因為何，有待下個章節分解。

不過，我在離職後也發生過一件趣事，可在此稍作分享，就是我在2016下半年辭職後，觀塘開源道分行也在2017年初關閉了，原因是我在任期間，把分行業績提高了不少，舖位業主有見及此，便一下子加一倍舖租。後來我離職後，由新負責人管理該分行，業績馬上打回原形，銀行見勢頭不對，便不再續租，遂決定關閉該分行。

相處之道：對待上司要「識做」

上一個章節我分享過對客的「心法」，接下

來不如談談與上司或下屬相處之道。從事銷售相關行業，能夠爭取亮麗業績，固然是第一要務。不過，倘若能夠管理好上層和下屬關係，必定能讓你的能力以倍數放大，這是顯淺易懂道理，但實際如何執行，容我分享一下自身經驗。

首先，對待上司真的要「刷鞋刷出樣」，所謂刷鞋不只是要講好聽說話，而是要易地而處為他著想，以作出相應行動。例如，在年頭計算花紅期間，我當時的上司會走訪區內眾多分行，循例聽取一下分行負責人的意見。但他那天十分忙碌，遲了四小時才抵達我的分行。他限我在十分鐘內完成報告事項，不然下一場就會遲到。於是我跟他說：「得！十秒內搞掂！」又對他說，相對不趕急的事可以待他有空再談。老闆馬上鬆了一口氣，畢竟他還有好幾場要跑，在我這邊能夠省下時間自然最好。

相反，有些同事則會趁機向老闆吐苦水，我認為這是一種「唔識做」的表現。代入老闆處境，都會希望同事效率高一些，最低限度不要為自己添麻煩。畢竟**「老細唔係幫你解決問題嘅人，最多只係扶持你解決問題嘅人。」**問題始終在自己身上，需要自己解決。待你身在高位時，可能還需要替上司解決問題。

我很願意去幫助老闆排憂解困，主動表示可以幫他「交數」，包括投資、保險和外匯項目。只要他一句吩咐，我便會在背後付出很多努力。**即使有時候事情不是我的強項，我都願意去做。只要你願意行多一步，即使做得不完美，上司都能夠接受。**

相應地，只要得到上司信任，你便會在工作上有更大自由度去發揮，相輔相成。最記得有一次，我買了一輛長房車，用來載客人和老闆。有一次與一眾高層及同儕開會，我突然想起明天要見一位大客，於是提出要中途外出洗車。當時上司聽畢馬上就瞪了我一眼，但最終還是放行。結果第二天我在長房車上，成功令客戶簽下了「世紀巨單」，一舉打破紀錄，隨後又在車上接二連三地促成不少「大生意」。自此上司便與我建立了默契，容許我隨時在上班時間出去洗車，甚至大家都開玩笑說不敢坐我的長房車，因為位位乘客都會「放低幾百萬」才可以下車。

相處之道：對待同事 管治方法要「fun」

除了上司，與下屬相處也是一門學問。雖然我在分行帶領團隊的時間不長，但我和同事們都

渡過了不少愉快時光：我會和大家一起去吃早餐、在營業時間觀看 NBA 決賽、甚至在星期五下午一班人出發去台灣旅行。下班還會去觀塘的工廈賽遙控車、去 party room 等。同事們都很享受「Work hard, play hard」的氛圍，工作極為落力，表現非常出色，短時間內紛紛升職加薪，分行業績也做到前所未有數目。大家都很快樂，個個肥肥白白。

危機處理 詐騙事件中善待下屬

當然，帶領團隊不會只是一路順風，當危機出現時，如何穩定軍心極為重要。記得有一次，分行差點被騙去大額鉅款，經歷了一番波折，幸好最後也化險為夷。

某個星期六，有位客戶前來提取現金 20 萬元，根據記錄他當時做了 80 萬私人借貸，女同事不虞有詐，便將現金交給了他。但在一小時後，有人發現那位客戶其實用了假身分證和虛假文書借貸，20 萬等同被騙走。我們都大為緊張，女同事甚至做好了降職心理準備。大家在惶恐不安中度過了數天，誰知那個人竟然食髓知味，居然重施故技，再次前來提款。這次我們認出了他，馬上通知保安部報警處理。持盾牌、警棍和槍的防暴警察在五分鐘內到達，並將之逮捕。過程中分

行內不少街坊都在尖叫，我就指揮同事去疏導情緒。事件落幕後，我還因此獲得好市民獎。

最初，當發現 20 萬被騙走後，我馬上找女同事了解情況，她的情緒十分激動，以為我要立刻開除她。但我只是簡單詢問她當時情況，加上客戶的戶口表面上並無問題，而且以她的經歷和資歷，是有權批准提款的。於是我便告訴她程序上並無犯錯，她已經盡了職責，可以放心。她頓時哭了起來，並說以為我會為了自保而要她背上全部責任，沒想過我會如此相信她。事件平息後，這位同事亦一改以往對我的疏離態度，開始以「老闆」尊稱我。團隊亦明顯變得更上下一心，對我的帶領更有信心。

Roy 於銀行工作時期相片

第四技：

達到好成績和好關係

要為他人「行多一步」

　　要在銷售的領域取得成功，並不是一件容易的事。過程不會是一帆風順的，每個人都需要時間去拿捏。我們可以著重發展這幾項技能：炒股、社交、銷售技巧，再加上在事業上追求進步的心，才會邁向成功。要在短時間內得到很好成績，背後必然要付出大量努力。

　　此外，在任何行業中，要成為一個「識做」員工，需要建立好人際關係。一方面了解上司需要，令他們順心，自己做起事來都會更順利。同時，凡事都

做多一步、想多一步的話，獲益的一定是自己。另一方面，亦要花時間和同儕下屬相處，一起奮鬥。這樣大家都會享受過程，融洽相處，能夠獲得卓越成績和豐富收穫。帶領一眾同事道理也相同，為他們設身處地去想，自然能夠幫到他們，不單止更「貼地」，還可以令他們心悅誠服。

Chapter 5：

夢想不止步，飛輪天地寬。

千億市值路，共赴未來篇。

轉換跑道 自立門戶

重整未來藍圖 開展全新旅程

　　儘管我在銀行屢屢創下佳績，受上層賞識之餘，與團隊亦相處得不錯，但我最後還是在 2016 年後半辭職了。之所以選擇離開，在於銀行工作已是手到拿來，只用了我十分之一的努力便足以應付，日子久了，自然想尋求突破。當時正值 2016 年初，太太見我對工作淡然乏味，便帶我參與進修課程。課堂主要教授一些理財觀念，也教大家如何充分發揮自己價值賺錢，避免陷入「以時間換取收入」的困境。

　　於是我便開始反思自身：當初加入銀行，全因我熱愛銷售，喜歡每天「見客」就可以賺錢的生活模式，後來平步青雲，工作內容亦隨之增加，

風險管理、處理文件、管理分行......其實都不是我主要想做的業務。我頓覺自己需要一個沒什麼限制、無拘無束的環境工作，重拾初衷。

後來便與太太 Emily（田斯蔚）好好傾談，一起回顧過往十多年職場生涯，重新思考前路。我坦言自己雖然不是遇到挫折或樽頸位，但就有種困住了的感覺。可幸太太也非常理解我的感受，也認為即使繼續在銀行工作，生活似乎不會有很大變化，未來還能夠賺多少錢，大家心中有數，倒不如放手一搏。因此我在 2016 年 9 月辭職，目標是親手打造一個全銷售全攻型團隊，當時我抱著讓自己有幾年時間去嘗試，「唔得咪返轉頭」心態，便踏上了創業旅程。

成立飛輪前身 擁抱變化 唯快不破

辭職後，我開始著手籌組新團隊，人生也進入了新階段。這段時間我都在學習如何與人合作和如何做生意，畢竟管理銀行分行和擁有一盤生意是截然不同的事，單是請人、搵客和搵 partner 已經大有學問。黃家麒（Ricky）係我中學同學，原本在澳洲有一份穩定職業，喺我創業初期，我跟他說我想改變銀行的做法，他就義不容辭的從澳洲回來跟我一起創業。

我認為創業最重要是留意周邊環境。最初我們將業務核心放在中國內地，所以初期我們在深圳發掘人才，然而，請來的人很多都做不過一天。本來我們都很費解，但當我看到街上貼著洗碗工的薪金，才知道自己犯了低級錯誤：原來我們定的薪酬低於市價，再加上當地人未必了解這工作的性質和潛力，導至我們無法招聘到員工。後來我們因應市價調整薪酬，亦向新員工說明如何在底薪之上，再賺更多錢，馬上吸引了不少人應徵。面對阻礙便要作出應對。這樣，幾個月後我們就發展至六、七十人的團隊。

　　2017 年我們正式於中國註冊。即使團隊沒什麼內地工作經驗，憑著努力和快速應變，之後一年也交出了亮眼成績，全賴大家努力，謹此特別鳴謝我的其中一位好拍檔「中哥」（何耀中），他當時頻繁地來回香港和深圳打點生意，每天都早出晚歸到內地分部處理繁重事務，對公司貢獻良多。

　　另外，我在內地那一年，也深深體會「擁抱變化，唯快不破」的重要性。我曾經在內地舉辦理財課堂吸引客戶，但我不擅長說普通話，後來我觀察到當地人比較喜愛滿載熱情的講課風格，

我便嘗試迎合他們，以較用力的表達方式授課，結果，即使我的普通話不算好，內地聽眾卻非常受落。後來我們也在香港開設課堂，與香港培訓公司合作，將人才帶去內地，繼續吸納不同團體客人，整個商業模式環環相扣，持續獲利。

但從 2019 年開始，疫情等不穩定因素慢慢浮現，開設課堂逐漸變得更為困難。市場上也出現了不少轉變，於是我們再次本著「擁抱變化、唯快不破」精神，逐步縮減內地 4 個分部規模，將重心轉移至香港。當中要提到我的另一位夥伴：譚德勝（Derek），他是一個專業會計師，在創業初期，幫助設計不同的商業模式，讓我們能夠在不同領域中找到不同的合作夥伴。站穩陣腳後，我和一眾伙伴重新審視過去數年業務發展，最終決定將資源集中，目標是發展出一個獨當一面的綜合金融服務平臺，投資版圖劍指粵港澳大灣區，以至環球資本市場。確立目標後，飛輪財策於此正式誕生。

「飛輪時期」圖片

飛輪：年賺 3 億團隊的 8 技

第五技：

擁抱變化 唯快不破

　　由離開銀行，構思全攻型銷售團隊，到前往內地發展，最後將資源集中香港，成立飛輪財策……當中經歷多次蛻變，這些轉變有時是我自力主導的，例如放棄銀行高薪厚職、籌組自己公司等，但更多時是因時制宜的，例如後來轉移陣地。永遠要記住計劃未必趕得上變化，切忌「一部通書睇到老」，**時刻要保持遼闊的視野和靈活變化的頭腦：眼看時勢轉變，作出相應部署和動作。**

　　我們對於人生、職涯、財務規劃等，往往會有許多計劃和憧憬，但即使你本領再高、條件再好，也不保證能在任何環境及情況下如願以償。**因為世上總會出現「黑天鵝」，即是前所未見異常狀**

況，將過往規矩全盤推倒，就好像過去幾年的疫情，便讓世界從此不一樣。所以，只有因時制宜、因地制宜，不停迅速變化，讓自己適應環境，才能夠安然渡過，進而取得佳績。這就是「擁抱變化，唯快不破」。

Chapter 6：

飛輪啟動破浪行，萬億目標心中定。

飛輪起動 劍指宏大目標

授人以漁 建立共贏局面

面對疫情這個前所未見的「黑天鵝」，我們決定把內地業務逐步關閉，繼而集中資源在香港重新出發。建立一個綜合金融服務平臺，一直是我的理想：由我投身社會以來，從第一份暑期工開始，我便發現自己很享受一邊從事銷售，一邊教育客戶各類理財知識，教學相長，互惠互利。為了實踐這種營銷與教育並重的營運方針，我便與伙伴開始著手籌備成立「飛輪財策」。

在團隊草創階段，我身邊已聚集了一幫專業度高、責任感強、熱情澎拜的行業理財精英，我們都懷著同一理念，就是「授人以魚，不如授人以漁」。以團隊中的一位重要成員 Annie（葉芷盈）為例，她的背景和我一樣，都是出身銀行銷售，當時她常常提到，在銀行工作往往是身不由

己，即使產品未必完全符合客人所需，但營業人員為了配合公司營運策略，也要「力 sell」，我也有類似經歷，因而深有同感。正因如此，在自立門戶後，我和她都不想重蹈過往經歷，遂訂下飛輪財策其中一個核心思想：一半咨詢，一半教育。為客戶提供專業財富管理咨詢之餘，更致力知識傳遞，提升客戶財富管理認知，假如客戶財金知識水平提升，對優質服務需求亦會因而增加，劣質服務提供者將會日益減少，最終整個行業結構將會更臻完善。

儘管我們定好核心思想，本着以客為先，努力建立共贏局面；在實際執行方面，有一眾精英團隊成員和我負責，「飛輪財策」整個 package 可謂無懈可擊；然而在 2020 年這個疫情高峰期，經濟熱度幾近跌至冰點邊緣，百業蕭條。「飛輪財策」到底要如何建立口碑，開創第一批客戶，把飛輪財策 sell 出去？我很快便發現一個突破口。

揉合過往經驗 用心建立信任

還記得我在第三章跟大家分享過，從事面向客戶工作，必先抱持享受心態，擴寬想像空間，才能觸及客戶的心，進而找到他們的需要，再針對這個發現去付諸行動。但當時正值疫情肆虐之

際，大家人心惶惶，不敢出門，導致我們也很難與客戶有面對面交流。後來，有同事不想無所事事，又知道我有專業投資背景，便建議我開設一些內部培訓班，主力教授投資技巧，讓從事保險銷售的同事也可以學會投資，工作時自然如虎添翼。我覺得這個提議很好，便開始內部講課，而員工反應亦非常熱烈。

後來在員工與客戶相處過程中，我在內部投資班教授的內容，便慢慢透過口耳相傳方式被更多人得知，客戶亦借助我的心得，在投資市場中獲利，大大增進了客戶對飛輪財策的信任。我從前線同事口中得知這個情況後，猛然發現這是一個突破口，能夠助「飛輪財策」打響名堂。於是我決定更上層樓，將投資班由內部員工培訓，變成開放予客戶參與，結果反應更加熾熱。最後更進一步，開設網上直播頻道，讓更多朋友可以收看我們的資訊。

此舉大大有利飛輪財策的發展，除了鞏固現有客群，開拓新客源之外，最重要是讓我們能夠在疫情最嚴峻時刻，和客戶建立無比珍貴的信任關係：客戶透過收看我們的直播，獲取有用投資資訊，即使沒有給予我們一分一毫，也可在投資市場獲利。我們一向鼓勵客戶先投資賺錢，再把

賺到的額外收入，給予我們作財富管理，讓財富像飛輪一般滾存。我們從來也不希望一蹴而就，因為我們明白信任是要一步一步累積，才是穩固而實在的。

如是者，團隊透過每日直播，慢慢建立了觀眾群，同業亦驚訝於我們的快速轉型，亦因為我們團隊每日堅持網上直播 90 分鐘，從而另眼相看。後來疫情發展至高峰，我們比較並分析當時市況與 2003 年沙士股市走勢，預測政府將會救市，而最後果真如此，我們和許多客戶都因此而逆市獲利。飛輪財策經此一役，在同業和客戶間已然打出名堂。連當時尖沙咀辦公室的業主，也很好奇我們為何逆市發展，卻越做越旺，後來我和業主更成為好朋友，不過這都是後話，先按下不表。

做出口碑之後，我繼續秉承過往在銀行從事銷售時的方針，用心為每位客戶提供服務，着力建立關係。隨着過去幾年時勢轉變，有些客戶會移民或作其他財務打算，我也會認真為他們搜集當地資訊，也試過介紹搬屋公司，或幫忙介紹專業人士處理當地稅務問題等。我提供這些服務多數也不會收費，但我卻贏得無數客戶的信任。

邁向10,000億之路

當初創立飛輪時，我和核心成員曾經聚首一堂，為公司制訂目標。當時的想法是，既然已經拋開一切毅然辭職，自然希望闖出一番事業，因此目標不可定得太低。經過一輪商議後，團隊一致決定要以「公司市值 10,000 億」為目標，縱然這個目標好像太過宏大，可說是遙不可及，但我們當時的想法是，定下不可能的目標，才能迫使我們扭盡六壬，將拼勁和潛力盡數使出來。再加上大家聚首一堂，建立飛輪財策，就是為了改變行業既定規則，因此必須定下宏大目標，發展出一定規模，才有資格談論改變世界。

定下目標後，大家都慷慨激昂，雄心壯志。儘管如此，我的團隊卻不是空有熱誠的，大家很快便著手探討不同方案，以達到 10,000 億市值的宏大目標。我們由一開始便清楚，單靠在股市投資，或是銷售各類產品，要令公司達到 10,000 億市值，可能需要用上數十年時間，似乎是不太現實，因此我們必須另闢蹊徑，再開財源。在營業上，要追逐更高更遠目標，最好的方法，無疑是參考同業成功例子。於是我們參詳了高盛、JP摩根等大行近年發展軌跡，我們最終想出了一個達

成目標的有效手段——讓飛輪財策在股票市場上市。

疫市奮進 有志者事竟成

要讓一家公司上市，過程毫不簡單。定下目標後，我們當時決定兩條腿走路：一方面繼續營運公司，做好本業之餘，積極尋找擴展業務和規模的方法；另一方面，我們努力到世界各地的交易所考察，務求找到最合適飛輪上市地點。過了不久，我們便發現澳洲證券交易所是一個不錯選項。在電郵交流之後，我們更飛抵悉尼，與對方面對面交流。由於飛輪在香港業務蒸蒸日上，對方亦歡迎我們前去上市。

可惜當我們快將啟動上市計劃時，澳洲疫情卻迎來最嚴峻時刻，上市進程即時停止，計劃必須延後。我和伙伴經認真考慮後，發現即使事後追回進度，時機也不再合適，倒不如先行撤退，從長計議可能比較明智。

雖然上市計劃停擺，但飛輪團隊並沒有因此氣餒，反而更積極地擴展規模，同時完善內部架構，比如當時我們逐步開設研究分析部、青訓部等，同一時間，我們的自家分析師團隊亦逐步壯

大，讓我們在波詭雲譎的市場上早著先機。另外，雖然我們在澳洲證券交易所上市計劃未能如願實行，但我和團隊亦沒有全盤放下上市計劃，反而好好檢視這次經驗，看看從中可以學到什麼。

我們很快便觀察到，疫情期間，百業蕭條，可是科技公司卻大展拳腳，如雨後春筍般湧現，發展亦非常順遂，各地證券交易所都對科技公司前來上市趨之若鶩。我和團隊當時就在想，飛輪財策作為一家金融機構，有沒有方法可以吸收科技公司利好勢頭，再化為己用，推動上市進程？經過仔細思考後，團隊馬上想出新方向，就是發揮金融機構優勢，主動尋找優質科技公司，並與之合作，甚至將之收購，成為飛輪一部分。同時我們繼續在世界各地交易所尋找上市機會，最終我們在美國找到上市良機，同時我們亦購入了一家主力研發建築科技的本地科技公司。一切水到渠成，飛輪財策最終在 2021 年 12 月正式於美國上市，強勢登陸美國市場。收購合併將會令飛輪到達另一個層次，所以要介紹另一位夥伴，鄭茜沂（Priscilla），她擁有極強的談判技巧，在我們的收購合併過程中，與不同專業人士合作，讓我們的收購合併之路能取得更有效的效果。

「飛輪時期」圖片

飛輪：年賺 3 億團隊的 8 技

第六技：
心態決定境界 鬥志創造奇蹟

飛輪草創時期，我和團隊核心成員定下 10,000 億市值的目標，又希望培訓出一群有心有力有情有義的金融精英，幫助客戶獲取最大利益，甚至改變業界生態，闖出一片天。**飛輪財策運作至今，依然不改初衷，繼續朝當初定下的方向前進，** 比如在市值方面，我們分四個階段，由一億開始，直至 10,000 億之前，每增加一個「0」，即代表完成一階段。在團隊努力下，現已完成首兩階段，現正朝第三階段邁進。

另一方面，飛輪堅持授人以漁，與客戶共同前進，一同獲利，相信終有一天可改善業界生態。在幾年前，相信沒有人能估計飛輪今天成績，但時至今日，

飛輪成績是有目共睹的。**我和團隊保持信心，一步一步做出成績，未來也會繼續努力，以鬥志創出輝煌成就。**

Chapter 7：

富豪智慧融策中，金融風雲任我行。

美國之行與踏足富人思考領域

　　飛輪於美國上市後，我稍微鬆了口氣，放下心頭大石，畢竟當中經歷如此多轉折，走過那麼多波瀾，甚至橫跨了這次現代社會前所未見的 great lockdown 及 great reset，最終飛輪還是順利登陸美國市場。整個過程中，團隊絕對是功不可沒的。壯舉成就後，我繼續在香港經營飛輪品牌，為不同客戶賺錢，同時接觸科創界別不同企業，物色合作伙伴，重啟內地業務。除此以外，我也稍為獎勵一下自己，於 2023 年 5 月親身前往美國，參加巴郡（Berkshire Hathaway）年度股東大會，近距離與股神巴菲特見面，一睹風采之餘，亦趁機偷師。

探訪巴菲特

　　對於不熟悉巴郡朋友，容我簡單介紹一下：該公司前身為一家紡織公司，巴菲特上世紀中取得經營權後，將之妥善轉型。 該公司過去近半世紀以來一直保持雄厚資本及微乎其微負債，一直為世人津津樂道。時至今日，巴郡與巴菲特幾乎已劃上等號。

自多年以前，巴菲特已是我的鑽研對象，他的行事作風、投資決定、經營組織手法，我都看在眼內，努力融匯當中精粹。這次前往美國參加年度股東大會，更是我夢寐以求的機會，近距離跟偶像偷師，聽一聽他對近年投資趨勢分析，例如創新科技、人工智能、加密貨幣等，如何揀選投資對象，以及如何經營業務。巴菲特現身說法，會場固然是堆滿了人，以我觀察，上萬人也說不定，場面實在震撼。除報告業務外，今年巴菲特亦再次重申他的現金流理論，也就是投資一家企業與否，必須留意該企業現金流狀況。現金流過少會導致企業容易周轉不靈，亦沒有向上發展空間，這是人所共知的；然而一家企業現金流過多，同樣不是一件好事，代表企業沒有妥善運用手上資源，即使具備充足現金流，也無法更上一層樓。假如有充裕現金流，其實可以考慮放貸，或者進行其他投資，其實可以為企業謀求更多利潤，因此一家企業現金流過多或過少，其實也不是理想狀況。

　　這個理論同樣可以應用於個人理財，我們管理個人財產，現金流固然不能太少，以免資不抵債，同樣也不能有過多現金流，應該適當利用手上資產，為財富增值。我管理飛輪財產，同樣亦是奉行這套現金流理論，公司自身固然要保持好

的現金流，選擇投資對象的時候也要留意現金流狀況，這是我從巴菲特身上學到的事。除了重溫現金流理論，我在這次美國之行，亦有從巴菲特身上看到其他啟示：由於以往因工作而時常接觸富豪，加上觀察巴菲特生涯，我慢慢歸納出一個有錢人獨有特質。

有錢人獨有特質

先此聲明，所謂有錢人獨有特質，只是我從觀察不同富豪個人經歷及行動模式之後歸納得出的，並不是所有富人都會有這特質，也不是說你必須具備這特質就能夠成為有錢人，只是曾與我交手的富人都會有類似經歷和特質，大家不妨聽聽，參考一下。

我是在過往兩位客戶身上第一次發現這特質：首位客戶原本從事金屬回收生意，他經常會收購一些坊間俗稱的「爛銅爛鐵」，常常說自己在生意開始初期，經常不被人看好，很多人都小看他這盤生意，認為回收一些沒有用的金屬，似乎賺不了多少錢。直到這位客戶於 2000 年間，非典型肺炎爆發時，捕捉到一次發達機會，從此便踏上了富豪之路。原來當時世界各地酒店業陷入寒冬，為了節省成本，開始物色一些較為便宜的金屬餐

具。這位客戶捕捉到這個機會，將自己回收的金屬溶解，再重新煉製成高級餐具，贏得不同酒店青睞，一舉拿下自己第一桶金。

至於另一位客戶，他的發跡史也有類似特徵：在上世紀很久以前，遊戲機產業尚未發展成熟，某個日本家用遊戲機正版遊戲操控桿售價昂貴，設計也不算完善，用起來毫不順手。這位客戶當時在大陸設廠製作遊戲操控桿，儘管有點「土炮」，但勝在口碑好，用家都盛讚比正版還要好用，口碑慢慢得以建立。大家原先都認為這位朋友經營的只是小本生意，薄利多銷，但他卻越做越大，直到那家日本遊戲機公司親自上門，向他尋求合作，隨後該公司便直接向他下達訂單。往後 10 多年，他為那間日本公司生產了過百萬個遊戲操控桿，當中收益更是無法估量。

聽過這兩個故事，你又會否猜到，我想告訴大家的那個有錢人特質嗎？其實答案顯而易見：像一件看似很小的事，或是一門很小的生意，在沒人看好的情況下，有錢人能夠經營得非常成功，最終收獲無法估量的利潤。要達致這一點，可能要多注意細節，時刻認清你的目標受眾，尤其是我們從事營銷工作。我常常提醒同事要緊記我們的口訣「六脈神劍」：誠信第一、專業為先、終

身學習、擁抱變化、持續創新、唯快不破。除此以外，也要緊記永不看輕自己的工作，最終一定可以取得成功。

團隊出席巴菲特股東大會圖片

第七技：

有錢人獨有特質

　　周星馳電影也曾講過：「一條底褲一張廁紙都有佢嘅作用」。其實做人處事也是如此，**請不要看輕你手上的工作，試試從中尋找機會**，就算別人小看你，也不要受到影響，妄自菲薄。正是如此態度，才能在機會降臨時，緊緊掌握，賺取自己第一桶金。雖然做到這一點，未必保證你能夠成為有錢人，但一定能夠讓你在該領域上取得一定成就，共勉之。

Chapter 8：

巴菲特學智繼續，飛輪財策誌豪情。
萬億夢想誰共鳴，未來更上層樓行。

思索飛輪前路

　　由美國向巴菲特偷師以後，我滿載而歸回到香港，繼續籌劃飛輪輝煌新一頁。我們很快便向高科技產業方向入手，物色優秀合作夥伴。過程中，我結交到不少成功人士，也促成不少合作機會，讓大家各取所需，互惠互利。其中我更認識到一位高人，從他身上學到幾招絕技，居然與巴菲特想法不謀而合。首先這位朋友跟巴菲特一樣，極其重視公司現金流，但他對現金流重視程度，更勝多少公司純利；其次，他毫不介意借錢給合適企業作發展。何謂合適企業？通常是實際資產淨值遠超於股價的那種，即使日後這些企業無法償還，也可以將手上資產直接轉移到我這位朋友以還清貸款，所以他是穩賺不賠的。這和巴菲特提倡的雪茄屁股（Cigar Butt）理論是不謀而合的，Cigar Butt 原指遭別人吸過之後，剩下並丟掉的一小段雪茄，儘管被人所棄，其價值依然不

減，比喻一些質素不錯，但被市場過分低估，導致股價低迷的股票，有識之士可以趁低吸納，待他日回升時，便能夠大賺一筆。

思索飛輪前路 歸納出三大法則

經過我近距離觀摩巴菲特和高人朋友，我開始慢慢思考飛輪未來發展方向。要在競爭激烈的市場屹立不倒，繼續朝我們 10,000 億目標進發，必定不能鬆懈，必須謹慎而行。我歸納出三大方針，希望飛輪未來都可以謹遵這些原則。

首先，飛輪必須繼續維持其良好聲譽，成為 Honourable Manager。巴菲特曾經留意過市場上大多數傳承至第二代，甚至第三代的企業，他們都是商譽極佳，能夠讓客人安心信賴的公司。有人可能會認為，從事金融業務，商譽真的重要嗎？常言道無商不奸，從事金融不是更應該「狡如狐、猛如虎」嗎？

為人當然要精明果斷，但從事金融行業，商譽比一切更重要！以巧取豪奪、欺瞞哄騙等手法經營業務，短時間可能獲取到豐厚回報，但後果堪虞，輕則身敗名裂，重則可以拖垮整個業界！2008 年金融危機就是源於無節制次按產品，銀行

和地方財務公司罔顧風險，胡亂放貸，層層互相欺騙，才導致災難性的結果。由此可見，從事金融行業，以正當手法經營，才是正途，這樣除了能夠讓客戶放心，我們身為從業員也能夠安心地穩步發展。

其次，飛輪要保持強勁現金流。正如我在上一章所說，現金流是衡量一家企業是否健康的標準。飛輪保持優秀現金流，自然能夠在適當時候收購具備潛力企業，可以更上一層樓。

最後，飛輪必須建立一條銷售護城河。何謂銷售護城河？其實就是我們在品牌定位上的無可取代之處。蘋果手機和可口可樂大家都不會陌生，也無法想像他們不再存在，因為它們已經建立一條穩固營銷護城河，成為世界上獨一無二品牌。飛輪也可以做到投資界的蘋果，為客戶提供五星級體驗，別樹一格，無可替代。

我相信飛輪未來一定會越轉越快，牽引出越來越大力量，正如當初命名公司意思：一同成長，繼續踏上萬億市值之路！

團隊出席巴菲特股東大會圖片

飛輪：年賺 3 億團隊的 8 技

第八技：

飛輪之道

　　面對自己，必先吸收一切資訊。掌握正確方法和資訊極其重要，缺少這些東西，只會愈努力錯得愈多，離目標愈來愈遠！當你上了軌道，不要固步自封，要與時並進，利用新時代科技和功能，為自己建立最大優勢。

　　面對客戶，要觸及他們的心，找到他們的需要。再針對這個發現去付諸行動。認識不同的人，自然會發生不少有趣事情，亦會豐富自己閱歷。在追求炒股、社交、銷售技巧之餘，加上事業心，成功只是一步之遙。

　　此外，在任何行業中，要成為一個「識做」員工，需要建立好人際關係。一方面了解上司需要，令他們順心，自己做起事來都會更順利。同時，凡事都做多一步、

想多一步的話，獲益的一定是自己。另一方面，亦要花時間和同儕下屬相處，一起奮鬥。

世上總會出現「黑天鵝」，即是前所未見的異常狀況，將過往的規矩全盤推倒，就好像過去幾年的疫情，便讓世界從此不一樣。所以，只有因時制宜、因地制宜，不停迅速變化，讓自己適應環境，才能安然渡過，進而取得佳績。這就是「擁抱變化，唯快不破」。

記住：心態決定境界，鬥志創造奇蹟。不要看輕手上工作，試試從中尋找機會，就算別人小看你，也不要受影響，妄自菲薄。正是如此的態度，才能在機會降臨時，緊緊掌握，這樣，你就可以在該領域上取得一定成就。

記住以上要點，讓我們如飛輪一樣，一經發動，永不止步！

附錄

炒股心法18式

在先前的八個章節中，我嘗試歸納八個我認為至關重要的心法，糅合我的人生經歷、所見所聞，幫助讀者吸收這些觀點，然而這些都只是我在經營團隊，為自己增值時的心法，對於炒股獲利的基本概念，或是技術操作，我則有另外18式。正如我在此書的前言所說，我希望讓本書囊括滿滿的「乾貨」，因此，在這篇附錄中，我會為大家歸納多年投資心法，毫不吝嗇，盡數分享。

此外，大家如果對我和團隊談投資有興趣，亦不妨在各大社交平台上搜尋「飛輪財策」或是「FlywheelChannelFinance」等關鍵字，我們在YouTube上更有一個頻道「FW炒出個未來」，每逢港股交易日早上9:15都會有直播，除了會評論各地股市，經濟大勢，也會分享炒股貼士或不定期推出財經專題等。逢星期三更會設有炒股直播，在1小時內由專家每分每秒陪你一齊炒股，實時目擊有策劃部署，到真正有斬穫的過程。同事們在策劃節目的時候也是落足心機，我保證每朝都會讓觀眾有所收穫，因此不妨訂閱我們的YouTube頻道，跟隨我們共同成長，一同為資產

增值。

宣傳的時間到此為止，接下來也是時候言歸正傳。在這篇附錄中，我準備了18個炒股心法，這些內容亦有上載到飛輪的YouTube頻道，你亦可以到那裡重溫。儘管以下有一些原則，對投資有興趣的你，可能已從其他專家口中有所耳聞，但我也希望你能夠從頭到尾閱讀我接下來所寫的18個心法，因為我是按着我的認知和經驗，逐步鋪墊出每一個心法，務求讓你可以循序漸進，按部就班，完美地消化每一個招式。

第一式：永遠不要撈底！

低買高賣，是所有人的夢想，有誰不想在最低位時買入在最高位時脫手，賺到盡，贏到盡？因此，不少投資的朋友都會有一個愛好，就是在低點撈底，趁低吸納嘛，有誰不愛？可惜的是，我們誰都沒有水晶球，有誰能夠預知什麼時候是最低點？當你以為是低點，可能低處未算低，假如真的不幸碰上這種狀況，資金就只會白白地被不停損耗。現實又怎會盡如人意，哪有可能每次都最低買最高賣？與其等待可遇不可求的幸運景況，倒不如盼望股價一直向上突破，我們就順勢而行，讓股價一邊上漲，一邊買入，因為我們相

信市場將會越來越強勢，強勢時就會繼續推高股價，我們便可以搭上順風車，繼續獲利。假如認真需要撈底，就必然需要長期部署，不停地計算、長線規劃，而不是一個碰運氣、守株待兔的舉措，因此，不要輕易想着撈底。

第二式：趨勢永遠是你最好的朋友！

承接上回，我們說過與其撈底，不如順勢而行，乘着強勢市場，一邊買入，坐看股價被推高，就可以乘勢獲利。由此觀察得知，趨勢永遠是我們在股票市場上，最需要看重的一個因素。自學生時期以來，我們常常被父母、老師教導每個人也應該要擇善固執，必要時需要獨排眾議，當有自己的觀點，自己認為正確的一套，就要雖千萬人而吾往矣，橫眉冷對千夫指也在所不惜！沒錯，在日常生活中，堅持自己的一套是應該的，但在股票市場中，這種規則就不適用了。投資盈利，緊記時刻要順勢而行，趨勢永遠是你最好的夥伴；逆勢而行，只會粉身碎骨。

當所有大戶一起掃貨的時候，何不跟一下風，坐坐順風車，一同獲利？假如大家都一起沽貨，你卻偏向虎山行，在這個時刻買貨，就會被套牢了，亦即是所謂的「坐艇」。所以當趨勢向上時，

就要把握時機，緊記趨勢永遠是你最好的朋友。只不過，當趨勢向下時，又是否應該跟着沽空呢？就要小心提防了，因為如果你不是專業人士，對沽空有一定認識，我就會建議你不要純粹跟風，而是多多了解，小心駛得萬年船。

第三式：不要高追快速突破的股票！

縱使趨勢是你最好的朋友，但也切記要提防一種股票，也就是快速突破上漲的股票。當一支股票以火箭般速度快速上漲的時候，單純以跟隨趨勢這個原則觀之，也許我們都應該緊隨其後，一起順勢而上。但凡事總有例外，假如你以高價位入貨，萬一股價有一點回落，或是在高位上震落，姑勿論它只是像網球一樣跌落後會再回彈，還是像雞蛋一樣倒地後會碎成一地，你也會有所虧損，你也不會有「盈利軟墊」。因此，面對這種瘋狂飆升的股票，千萬一定要冷靜，先設定好一個合適的價位，再設置一個買入預定位置，一升穿預定位置便進貨，不用心急與人爭崩頭，萬一真的買不到搶不到，無法進場，甚至 gap-up 跳升了，那樣也不用過於在意。錯失了這一次賺錢機會，下一次再來就好，無需扼腕嘆息，過分介懷，正所謂江山如此多嬌，留得青山在，哪怕沒柴燒？

第四式：記得鋪「軟墊」！

在講解上一式時我有提及過，如果高追入貨，不幸遇上回彈，便會毫無懸念地錄得虧損，同時你也不會有「盈利軟墊」，就真的是傷入筋骨了。但到底什麼是「盈利軟墊」呢？

「盈利軟墊」又可以稱為獲利盈餘，現實生活中，我們都是用自己的資產收入去投資股票，沒有人會送贈一筆巨款讓我們去隨心所欲地投資、去止損，人人都要為自己的投資決定負上全責。因此，如果你能夠在每一次投資，每一個股票上面獲得一些盈利軟墊，便可以讓你的盈利和股票像放風箏一樣，有一定自由度。假如不幸碰上虧損，由於「盈利軟墊」存在的關係，也不會虧損你手上的本金，而是由市場先前所給予你的獲利盈餘去為你墊支。因此，我認為投資時必須要記得鋪「軟墊」，做好措施，精明地計算，自然便可以降低「蝕到入肉」的機會！

第五式：一定要設定自動止損！

除了時刻要記得為自己設定「盈利軟墊」，要保本要避免損失，另一個更直接的方法就是設

定自動止損點。相信任何學習投資的人，對於自動止損點這一個用語必然有所聽聞。這一個概念也不難理解，其實就是為自己提早設定一個價位，當股票跌至該價位，無論如何也要沽出。但是實際執行起來，可能便會覺得困難，有可能是因為不想認輸，也有可能是害怕自己沽出的時機不對，舉凡以上種種，總而言之就是那三個字——捨不得。我也理解輸錢的時候，還要做出明智而艱難的決定，殊不簡單。但假若不在預早設定的價位，決斷地止損，只會令你越蝕越多，萬一損害到筋骨，蝕入你的本金，只會影響你下一次的交易，斷絕你下一次的賺錢機會。因此設定好止損價位，就不應該猶豫，在預設價位直接沽出，當機立斷。

第六式：三種股票不需要考慮！

然而，就算你有預早設定自動止損，或是一早已經在其他股票當中獲取足夠的獲利盈餘，有三種股票也是最好不要碰的。面對這三種股票，再多的措施也是徒勞，畢竟市場上有更多更好的選擇，為什麼偏偏要接觸這三類股票呢？假如想在投資中獲利，切記要避開這三種股票，便可以讓你的努力和功夫不會浪費，繼續在股票市場中持續獲利。

其一，不買細價股。股票市場包羅萬有，形形色色、各種價位的股票都充斥在這個市場當中，假如有資源，何不將之投資在股價 $12 或以上的股票呢？這類股票沒有那麼容易會觸碰到你的止損點，自然在操作上有更多彈性。另一方面當股價有一定份量，那些會操控交易的「朋友」自然也會較難操控。基於以上種種，看見股價在 $12 或以下的股票，如非必要，避之則吉。

其次，不買低成交的股。為什麼？最關鍵的原因就是，我們有機會會買不齊我們需要的貨量，同樣，我們也會有一定風險，賣不掉我們要買的貨。盈虧比例自然難以實現。其實市場上有更多交投旺盛，同樣優質的股票任君選擇，何必要鑽牛角尖，尋找一些低成交的股票，自尋煩惱，自討苦吃？

最後，不買買方薄弱的股票。你可能也會看見一些「仙股」，交易規模往往只有 1000 股、2000 股左右，假如你真的硬着頭皮去買這些股票，我恐防你會沒法把它沽掉，甚至連獲利的機會也沒有，白白蒙受虧損。

第七式：手握完美的股票也要記得提取利潤。

　　當你避開市場上的地雷，為自己定好一切需要預先設想好的準備，終於捉緊一次機會，在市場上尋得一隻優質股，更有幸在適合的價位買入，接下來應如何是好？你要時刻記得一個原則——無論再好的股票，都要記得提取利潤！當每一隻股票上漲到一定價位的時候，其實你有必要把一部分的利潤收入囊中。時刻都要緊記，收入囊中的利潤才是你的利潤。最少也要記得收回四分之一、三分之一，甚至一半。為什麼要這樣做？因為原本獲利的倉位，也有機會突然變成虧損，因此保住你的倉位，記得在合適時間提取一定利潤。

第八式：市場永遠是對的，我們永遠是錯的。

　　交易其實永遠沒有對錯，現實之中，一件事、一個決定是正確，或是錯誤，界線可能沒有分得那麼清。但是在投資股票上，要設計一個原則，就是市場的趨勢永遠是對的，假如我們與市場的趨勢對着幹，我們永遠就是錯的。就是如此簡單，黑白二分。因此，想永遠走在正確的一邊，就要與市場的趨勢同行。假如你買入股票之後，自顧自地不停幻想股票會向上升，螢幕是市場的趨勢、實際的變化，只會讓自己落入錯誤的一方，最終

蒙受惡果。唯有客觀地留意市場的變動，正如我在之前篇章所講解的「睇牌」，看清楚每一個在市場上的人如何出招，才能與市場一起站在正確的一方。

然而，就算與市場不是站在同一邊，偶爾犯錯，其實問題並沒有那麼大，縱使是我，在日復一日的投資當中亦偶有失手，做出違背市場趨勢的決定，只要盡快認清自己的錯誤，轉投正確的一方，所有問題都可以迎刃而解。因此，做出錯誤決定時，只要肯大方認錯，馬上轉向，問題並非如此之大。能夠分清對錯，認清趨勢固然重要，但是敢於認錯，敢於改過的決心，更是難能可貴。

第九式：所有交易都是獨立事件，與其他交易無關！

上一式談及敢於認錯，果斷轉身的心態，令我馬上想起下一式，也就是所有交易都是一個獨立事件，理應分開去看待。中學經濟科也曾教過大家什麼是沉沒成本（sunk cost）。簡而言之，當我們作出任何決策時，也許會牽涉一些已經發生且不可收回的成本，即是過去已支付的代價，與往後的決策無關。之所以要把所有交易都看待為獨立事件，其實也與沉沒成本的概念類似。許

多朋友會將每一單交易互相扣連，認為冥冥中它們都會有所關聯，往績會影響下一單交易的決策過程，或是影響下一單交易的收益或虧損。我必須重申，這種想法是大錯特錯的，當我們進行每一次交易，應該要把他們看待為一宗又一宗的獨立事件。切忌把過往的事情當成你今日決策的準則，新一天的交易，就有新一天的狀況，就要用上全新的交易策略。獨立個別地設定每一個止損點和盈利點，才能夠把你的利益最大化，趨吉避凶。

第十式：回報風險比率要大於2：1！

炒股心法 18 式現時已經超過了一半，之前九個心法往往着重於一些基本概念，讓你能夠有一個預設的基本框架，看待股票市場之中的不同事物和決策。在接下來的下半部分，我則會更加着重於一些可以實際執行的操作，更加着重於計算，讓這套心法的效益發揮得淋漓盡致。

首要的基本概念，就是回報風險比率要大於2：1，舉例而言，假如你將止損點設定在 7%，這就意味着你的期望潛在回報率是 14% 或以上。當你的止損點設定在 5% 的時候，那麼期望潛在回報率就會同時更改為 10%，如此類推。假如你能夠

長時間將盈虧比例保持在二比一，裏面能夠在不同階段中獲利。

第十一式：平均獲利要大於平均虧損！

承接上回，當你的回報風險比率能夠長期大於二比一時，你便能夠把自己的平均獲利大於平均虧損。當你經歷一連串的投資時，假如最終要作一個結算，那麼長期獲利率理應要高於你的長期虧損率，綜合上一式所講，假設你的長期虧損率在7%，那麼你的長期獲利率就應該是14%或以上，否則你所做的投資都不過是浪費光陰，在做無用功。在投資的過程中，請你緊記，你是來賺錢的，而不是在玩遊戲，保持長期回報風險比率在二比一是最基本門檻。當你能夠達致這一點，那麼你也可以挑戰更大的回報風險比率，比如三比一、四比一或是五比一，當然這也視乎你的投資工具和策略，但要記得設定盈虧比例最少應該是二比一。

第十二式：你的勝率只需40%！

買賣股票、投資不同產品，對一些人而言可能比較虛無縹緲，真正能夠獲勝，從市場中有

斬穫，十次當中也不知道有沒有三四次，經常空手而回甚至輸錢離場，往往會令新手投資者感到氣餒，覺得自己不適合投資。然而，我可以明確地告訴你，即使是星級投資者，勝率也不會是100%，甚至可能只有五成左右也說不定，但是他們也可能在股票市場中賺大錢，最終結算的成績也絕不失禮。到底為什麼會這樣呢？

其實我可以明確地告訴你，縱使你的勝率只有40%，你仍然有機會可以長期保持獲利10%。怎樣做到？我會用例子來回答你。

獲利百分比	虧損百分比	盈虧比率	平均得勝率 30%	平均得勝率 40%	平均得勝率 50%
20%	10%	2:1	-17.35%	10.20%	46.93%
24%	12%	2:1	-22.08%	9.80%	54.71%
30%	15%	2:1	-29.57%	7.71%	64.75%
36%	18%	2:1	-37.23%	4.00%	72.49%
42%	21%	2:1	-45.01%	-1.16%	77.66%
48%	24%	2:1	-52.52%	-7.55%	80.04%

參考上面的表格，你就會發現，假如你將盈虧比率設定為二比一，你10%為止損點，20%為潛在回報，即使你只有40%勝率，最終你也會有10%的倉位盈利，萬一你能夠達到50%的勝率，

你更加能夠掌握 80% 或以上的盈利率。因此，不要害怕失敗，勇於行動，只要事先決定好合理的止損點，加上合理的盈虧比例，你便可以放心去馬。

第十三式：不要憑空想像交易結果！

買賣股票之前，你會嘗試計算回報風險嗎？可能你會覺得買賣投資，講求運氣，實際得失未必能夠以數式計算。實際真的如此？假如投資都只是和賭博一樣，冇數得計，那麼交易便不成交易，就只是賭博。實際上，交易是應該根據實際的計算結果去進行的，而不是碰運氣，或是憑空想像去行事。

		不複利			複利		
交易	報酬百分比率	盈虧	累積餘額	累積報酬率	盈虧	累積餘額	累積報酬率
			$100,000			$100,000	
1	50%	$50,000	$150,000	50%	$50,000	$150,000	50%
2	-40%	($40,000)	$110,000	10%	(60,000)	$90,000	-10%
3	50%	$50,000	$160,000	60%	$45,000	$135,000	35%
4	-40%	($40,000)	$120,000	20%	$54,000	$81,000	-19%

許多進行交易的朋友都會思考，究竟在一單交易上需不需要利用複利率，以提升我的得勝率，假如參考上述表格，你便會發現複利和不複利的情況下，假如在同一個位置入貨，回報率一樣的情況下，兩者的差異是非常大的：前者可能會錄得極大的虧損，後者卻可以保持一定盈利。因此在這個個案之中，假如你是事主，你會選擇複利還是不複利？因此，切勿憑空想像，大部分情況下其實都可以根據數學的實際計算去作出最佳判斷，切勿閉門造車，自尋短見！

第十四式：止損是利潤的一部分！

　　剛剛我們在第十二式中提及過，其實我們只需要40%的勝率，便足夠讓我們賺取可觀的回報，當你能夠達致50%的勝率，收入更是豐厚，可以贏取成本多八成的回報。在這個情況下，你在沒法得勝的地方所損耗的成本，其實都是你試錯的機率，也是你試錯的成本。你只需要把止損點設定在一個可控制的範圍內，同時緊記要符合你的盈虧比例，你便可以持續獲利。記住，並不是每一次出手都一定能夠得到勝利，能夠在沒法得勝的地方保持冷靜，在合理的自選點抽身，減少資金耗損，其實就是利潤的一部分。

第十五式：不用槓桿也能高獲利！

坊間有許多朋友都會支持一種說法：只有借錢回來做交易，才能賺得豐厚的回報。我對這種說法不置可否，但我想向所有讀者重申一個觀點：除非有200%的信心可以贏錢，否則千萬不要借錢投資。並不是因為我認為借錢是不對的，我抱有這樣的觀點，是從一個理性的角度去思考。很多時候額外的借款、額外的本金，只會令你的風險大大增加，另一方面也會令你份外緊張，影響正常判斷，增加做錯決定的風險。

其實在我的朋友當中，憑藉幾萬元本金，贏得數十萬回報的故事屢見不鮮。仔細考慮自己的交易策略，在每一個交易當中，只要能夠賺到10%至15%的回報，你已經能夠做到長期獲利。哪怕你只是用了一半倉位，即是你一半的本金，在你的本金之上已經能夠翻倍。以上種種其實都是實際數學計算得來的結果。因此，是否還需要借錢投資？相信答案顯而易見。

第十六式：所有「新聞」都是「舊聞」！

傳播理論當中有一個概念名為「知識鴻溝（Knowledge Gap）」，意思即是社會經濟地位

較高的人，通常能夠比社會經濟地位較低的人有更多、更快的渠道接觸不同資訊，兩者之間能夠得到的資訊量差距越來越大。當我們進入數字時代，所有事情都能夠通過網絡得知，這個知識鴻溝可能會相對收窄，但是在瞬息萬變、紛紛擾擾的市場中，社會經濟地位較高者，或者我們可稱之為大戶，始終能夠比其他人更快、更準確地掌握關鍵資訊。更甚者，能夠撼動市場的舉措，可能都是出自他們的手。而當新聞媒體再去報道他們對市場造成的波動時，已經遲了半拍，他們的舉措已經對你造成影響。因此，我經常都說，所有「新聞」，實際上都是舊聞。

舉例來說，股票裏的盤路，以及實際股價，這些真實的交易情況，其實已經向你透露當中有沒有一些異動發生。大戶掃貨時，不會敲鑼打鼓高聲宣佈：「喂！要買股票了！」因此你必須要留意盤路的狀況，例如成交量正在不斷放大，或是實際股價正不斷被推高。當你發現符合突破策略特徵的股票時，那麼你便應該要跟隨入貨，當新聞報道股價正不斷上漲時，其實已經是你應該要放掉股票的時候。

第十七式：寧可錯過，不要犯錯！

　　我最景仰的知名投資者之一——巴菲特，他以揮棍擊球比喻投資交易：棒球比賽中擊球手無法在合適時機揮棍，一直錯過機會就會三振出局，在市場交易則不是同一回事，即使你一直不揮棍也不會遭到淘汰，反而應該捕捉最合適的時機，全力揮棍，一擊即中，因此我們不需要每次都揮棍。將這個原理放在投資上，就是我們不需要無時無刻都有交易，而是應該持續觀望，等待最合適的時機，再重錘出擊，大賺一筆就足夠了。

　　更進一步，就是在你面前有 100 個合適的機會，但你不一定要 100 個機會都全數捕捉，就算你面前錯失過 10 個機會也好， 100 個機會也好，你只需要捉緊其中一個機會，就能夠做到高獲利。近日投資圈經常談及一個名詞「FOMO（fear of missing out）」，如果你能夠透徹理解巴菲特的觀點，你便會發現所謂「FOMO」不過是杞人憂天，我們的資源都不是無限的，因此錯失一些機會在所難免，但要取得階段勝利，只要抓緊一個機會便已經足夠。

第十八式：不要猶豫，敢於行動！

　　來到炒股心法最後一式，我們來談談看待投資的心態吧。我認為每一個投資者都應該養成一種習慣，就是常常看着自己的倉位行事，在望向市場考慮是否進場的最好時機。同時考慮這些股票是否適合你去購入，評估自身風險，小心駛得萬年船。然而，行事盡量小心謹慎，相信大多數的人都能夠做到，但在仔細分析過後，如何採取正確行動，例如選上一些大牛股，或者選出一些有突破的股票，然後毫不猶豫，馬上入貨，如此果斷，並不是人人都能夠做到。因此，我會將不要猶豫過多，敢於行動，列為我們的炒股心法最後一式。

　　最後，額外贈送多一招給大家，最開始的時候適合用 5% 到 10% 的倉位買入股票。假若能夠賺錢，當然就是贏了就加碼，輸了就放手。萬一不幸在一次交易中到達止損點，再下一次交易又不幸跌到止損點，反反覆覆連續幾次都迫不得已要脫手，又如何是好？其實答案也是顯而易見，當每一次交易都如此不順，即表明現在的市場節奏不對。如果市場趨勢都與你背道而馳，就要考慮停止交易，直到你再找到下一個合適的買入點，例如看見許多股票都在向上時，又是把握機會，果斷行動的時候了！

結語

寫到這裏，此書亦告一段落，希望讀者都能夠從 8 技和炒股 18 式當中有所收穫，當我嘗試整理自己營運公司，以及在股票市場打滾的技巧時，我亦能夠溫故知新，讓我自己可以重拾一些早已遺忘，或者「入骨」的技巧和智慧，也令我想起發展事業以來所遇過的每一個面孔，他們有的幫助了我許多，也有讓我面對挑戰，得以成長的人，我謹在此感謝他們每一位。

我在許多公開場合都有說過，當初之所以會將公司定名為飛輪財策，是因為我心目中的成功事業，應當與物理學中的「飛輪效應」一樣，一開始必須使出很大的力氣，不斷重複地推動，每轉一圈都很費力，但是每一分氣力都不會白費，因為隨着每一個人的努力，飛輪迴轉動得越來越快。 當跨越某一個臨界點時，飛輪一直累積的動力，將會賦予整個機器足夠的衝力，此時便不再需要耗費如此大的力氣，而整個機器都會繼續飛速轉動，越來越快。我祝願我自己、我的團隊，以及看到這書的所有讀者，都能夠像飛輪一樣，付出的努力不會白費，累積起來的動力將會在某一刻突破奇點，一起走向更遠。

全書完

書　　　　名	飛輪：年賺 3 億團隊的 8 技	
作　　　　者	鄧兆豐	
出　　　　版	超媒體出版有限公司	
地　　　　址	荃灣柴灣角街 34-36 號萬達來工業中心 21 樓 2 室	
出版計劃查詢	(852)3596 4296	
電　　　　郵	info@easy-publish.org	
網　　　　址	http://www.easy-publish.org	
香 港 總 經 銷	聯合新零售 (香港) 有限公司	
出 版 日 期	2024 年 6 月	
圖 書 分 類	金融與商務	
國 際 書 號	978-988-8839-81-0	
定　　　　價	HK$128	